699

Benjamin

D1416421

À Wesley — *P.B.*

À *Lois Keddy et sa famille*
avec tous mes remerciements — *B.C.*

Données de catalogage avant publication (Canada)
Bourgeois, Paulette
Franklin is lost. Français
Benjamin s'est perdu
Traduction de : Franklin is lost.
ISBN 0-590-74147-0
I. Clark, Brenda. II. Titre. III. Titre: Franklin
is lost. Français.

PS8553.097F714 1992 jC813' .54 C91-095338-4
PZ23.B68Be 1992

ISBN 0-590-74147-0

Édition publiée par Scholastic Canada Ltd., 123, Newkirk Road, Richmond Hill
(Ontario) L4C 3G5, avec la permission de Kids Can Press Ltd.

Conception graphique de Michael Solomon et de Brenda Clark.

Benjamin
s'est perdu

Paulette Bourgeois
Illustrations de Brenda Clark

Texte français de Lucie Duchesne

Scholastic Canada Ltd.,
123, Newkirk Road, Richmond Hill (Ontario) L4C 3G5 Canada

Benjamin sait glisser tout seul dans la rivière. Il sait compter à l'endroit aussi bien qu'à l'envers. Il sait remonter sa fermeture éclair et boutonner sa chemise. Il peut même aller tout seul jusqu'à la maison d'Ourson. Mais Benjamin n'a pas le droit d'aller tout seul dans le bois.

Un jour, Benjamin dit : «Je vais jouer chez Ourson.»

«D'accord, dit sa maman. Mais reviens à six heures, pour le souper.»

Elle lui montre l'heure avec les aiguilles de l'horloge.

«Et surtout, Benjamin, lui dit sa maman, ne va pas dans le bois tout seul.»

Benjamin court le long du sentier, traverse le pont et le champ des petits fruits.

«Ourson est là, dit Benjamin en haletant. À quoi jouez-vous?»

«À cache-cache, crient ses amis. Et c'est toi qui comptes.»

Benjamin commence à compter. Cache-cache est son jeu préféré. Il ne court pas très vite, mais il est très malin. Il sait qu'Ourson se cache toujours dans le champ des petits fruits.

Benjamin regarde autour de lui. Il voit une patte poilue tendue vers une grappe de petits fruits.

«Je t'ai vu, Ourson!» crie-t-il.

Benjamin aperçoit sous le pont des plumes et de la fourrure.

«Je t'ai vue, Bernache! Je t'ai vue, Loutre!» crie-t-il.

Mais il a du mal à trouver Renard. Benjamin marche dans une direction, puis dans l'autre. Il regarde dans les buissons et cherche sous les troncs. Il suit le sentier, traverse le pont et, sans même s'en rendre compte, il entre tout droit dans le bois.

Il regarde dans les terriers et tout autour des arbres. Benjamin cherche partout, mais il ne trouve pas Renard.

Renard n'est pas dans le bois. Il s'est caché dans la maison d'Ourson. Après quelque temps, il crie : «Tu ne peux pas me trouver!»

Mais Benjamin ne l'entend pas. Il est trop loin.

«Où est Benjamin?» demande Renard.

Personne ne le sait.

Ils attendent longtemps. L'estomac d'Ourson gargouille. Finalement Bernache dit : «Il est presque six heures. Benjamin a dû courir chez lui pour arriver à temps pour souper.»

«Sûrement», approuvent les autres. Et ils s'en vont.

Chez Benjamin, l'horloge marque six heures. Les parents de Benjamin sont mécontents. Le souper est prêt.

À six heures et demie, ils s'inquiètent et partent à la recherche de Benjamin.

Le papa de Benjamin cherche le long du sentier. «Benjamin! crie-t-il. Où es-tu?»

La maman de Benjamin va voir ses amis.
«Où est Benjamin?» demande-t-elle à Ourson.

«Où est Benjamin?» demande-t-elle à Loutre et à Bernache.

«Où est Benjamin?» demande-t-elle à Renard.
Personne ne le sait. Ils sont maintenant inquiets, eux aussi.

Il commence à faire noir. Benjamin regarde d'un côté, puis de l'autre. Tous les arbres se ressemblent. Toutes les roches se ressemblent. Il ne peut pas retrouver le sentier.

«Je me suis perdu», dit Benjamin d'une toute petite voix.

Il ne se souvient pas de quel côté il est arrivé. Il ne sait pas de quel côté repartir. Il est fatigué, il a peur et il est tout seul. Benjamin se recroqueville dans sa petite carapace sombre et attend. Quelqu'un va bien finir par arriver, non?

Des ombres noires se dessinent sur les roches.

«Qui est là?» chuchote Benjamin. Mais personne ne répond, parce que ce sont les nuages qui passent devant la lune.

«Hou! Hou!»

«Qui est là?» chuchote Benjamin. Mais personne ne
répond, parce que c'est Hibou qui est loin, très loin.

«Fffff! Fffff!»

«Qui est là?» chuchote Benjamin. Mais personne ne
répond parce que c'est le vent qui souffle dans les arbres.

Benjamin essaie de s'endormir, mais tous les bruits de
la forêt le font sursauter.

Il se fredonne une petite chanson quand il entend :
Cric, crac, cric, crac, cric, crac, splouch.

«Qui est là?» chuchote Benjamin. Mais personne ne
répond.

Puis, Benjamin entend un nouveau son. On dirait que
quelqu'un crie son nom. Il entend encore une fois ce son.

«Je suis ici! Je suis ici!» crie Benjamin à plusieurs
reprises.

CRIC, CRAC, CRIC, CRAC, CRIC, CRAC, SPLOUCH! Les parents de Benjamin arrivent tout près de lui.

«Ah! te voici!» Ils le prennent dans leurs bras et l'embrassent en le serrant bien fort.

«Nous étions tellement inquiets», dit le papa de Benjamin.

«Nous t'avions dit de ne pas aller dans le bois tout seul», dit sa maman en le grondant.

«Je n'ai pas fait exprès, explique Benjamin en reniflant. Je cherchais Renard et j'ai oublié.»

«Eh bien, heureusement que tu es sain et sauf!» soupirent ses parents.

Ils retrouvent le sentier et marchent jusqu'à la maison. Le souper est encore chaud dans le four. Après avoir pris deux portions de chaque plat, Benjamin a quelque chose d'important à annoncer.

«Je suis désolé. Je promets de ne plus jamais aller dans le bois tout seul.»

«Même si Renard est caché dans le bois?» demande sa maman.

«Même si Ourson est caché dans le bois?» demande son papa.

«Même si tout le monde est caché dans le bois!» répond Benjamin.

L'heure du coucher est déjà passée. Benjamin se blottit dans sa carapace, bien au chaud et en sécurité.

«Bonne nuit, mon chéri», disent ses parents.

Mais personne ne répond, parce que Benjamin dort déjà profondément.